Nous remercions le Conseil des Arts du Canada,
le ministère du Patrimoine canadien et la SODEC
de l'aide accordée à notre programme de publication.

Le Conseil des Arts | The Canada Council
du Canada | for the arts
depuis 1957 | since 1957

 Patrimoine   Canadian
canadien   Heritage

Illustration de la couverture
et illustrations intérieures:
Hélène Desputeaux

Édition électronique:
Infographie DN

Dépôt légal: 4e trimestre 2000
Bibliothèque nationale du Canada
Bibliothèque nationale du Québec

1234567890 AGMV 0543210

Minnie Bellavance déménage

COLLECTION
PAPILLON

DE LA MÊME AUTEURE
AUX ÉDITIONS PIERRE TISSEYRE

Collection Papillon
Sacrée Minnie Bellavance, roman, 1992
Minnie Bellavance, prise 2, roman, 1994

Collection Faubourg St-Rock
Une place à prendre, roman pour adolescents, 1998

Chez d'autres éditeurs
« Hymne à la vie », nouvelle pour adolescents,
    in *Ah ! Aimer...*, Éditions Vents d'Ouest, 1997
Ça roule avec Charlotte, J'aime Lire, nº 100,
    Bayard Presse, juin 1997
Ça roule avec Charlotte, collection Ma petite vache
    a mal aux pattes, Soulières Éditeur, 1999
Roll on, Charlotte ! Adventure Box, The Children's
    Magazine Co., juillet-août 2000
Charles 4 !, collection Grimace,
    Éditions Les 400 coups, 2000

Données de catalogage avant publication (Canada)

Giroux, Dominique

      Minnie Bellavance déménage

      (Collection Papillon ; 75)
      Pour les jeunes de 10 ans et plus.

      ISBN 2-89051-763-2

      1. Titre II. Collection : Collection Papillon (Éditions
      Pierre Tisseyre) ; 75.

PS8563.I762M54 2000   jC843'.54   C00-941431-2
PS8563.I762M54 2000
PZ23.G57Mi 2000

Minnie Bellavance déménage

roman

Dominique Giroux

**ÉDITIONS
PIERRE TISSEYRE**

5757, rue Cypihot, Saint-Laurent (Québec) H4S 1R3
Téléphone : (514) 334-2690 – Télécopieur : (514) 334-8395
Courriel : ed.tisseyre@erpi.com

À ma belle Sarah d'Orient,
et à son bonheur
dans son petit nid québécois.

1

Le « coup »
de téléphone

Ça faisait deux semaines que maman tournait autour du téléphone et se jetait carrément dessus à la première sonnerie.

Évidemment, je soupçonnais anguille sous roche, car ma mère n'affectionne pas particulièrement ce mode de communication. De toute évidence, elle attendait un appel. Important en plus. Mais toutes les fois où je l'inter-rogeais à ce sujet... motus et bouche cousue !

Je dois t'avouer que j'étais intri-guée. Surtout que, jour après jour, Anne-Marie devenait de plus en plus nerveuse. Elle ne se rongeait plus les ongles... elle se dévorait carrément les doigts.

Et puis, il y a exactement deux se-maines, j'ai su. Mais j'aurais aimé mieux ne pas savoir. Car, à cet instant précis, mes parents ont complètement dérapé.

Au premier DRING !, maman, fidèle à son habitude des derniers jours, s'est ruée sur le téléphone. Après les po-litesses d'usage, j'ai bien vu que ma mère s'animait d'une ferveur inha-bituelle. Son visage s'est éclairé et elle gesticulait en faisant de grands mou-linets pour attirer l'attention de mon père. Au bout du fil, cachant mal son excitation, elle ne cessait de répéter :

— *Yes, Sir ! Oh ! Yes, Sir ! Yes, yes, yes...*

Dès qu'elle eut raccroché, tout a été très vite. Papa lui a sauté dans les bras d'un air entendu. Et puis ils ont dansé, crié, bondi, virevolté...

— Cela a marché, a alors dit papa en soulevant sa femme dans les airs. YAOU-OU-OU...! Je n'arrive tout simplement pas à y croire. YAOU-OU-OU! Bravo! Bravo!

— FOR-MI-DA-BLE! Place à une toute nouvelle VIE, a renchéri Anne-Marie, hyperexcitée, en se tapant sur la bedaine.

La seule pensée qui m'est alors venue à l'esprit était que maman attendait un bébé. Voulant participer au bonheur de mes parents, j'ai demandé le plus naïvement du monde :

— WOW! C'est pour quand?

— Ça ne devrait pas tarder... D'ici une quinzaine de jours, tout pourrait être réglé.

La réponse de papa m'a estomaquée. J'ai regardé maman dont le ventre était aussi plat qu'une planche à repasser. À moins d'un bébé gonflable ou d'une pousse magique, ce n'était pas très concluant. Mes parents me prenaient-ils pour une imbécile ?

Devant mon air incrédule, Edmond et Anne-Marie ont éclaté de rire. D'un commun accord, ils m'ont prise par la main et entraînée vers le sofa du salon.

— Maintenant que tout est officiel, il est temps pour nous de te livrer notre grand secret.

J'étais sur la défensive. Le timbre de leur voix était trop mielleux pour laisser présager quelque chose de bon. Lorsqu'ils prennent soin d'enrober leurs paroles de la sorte, je peux m'attendre à tout. Et pas forcément au meilleur !

— Vois-tu, Minnie, ta mère a postulé pour un emploi absolument génial. On ne se faisait pas trop d'illusions, car les possibilités pour qu'elle obtienne le poste étaient vraiment minimes. Par contre, par défi personnel, Anne-Marie a voulu tenter sa chance. Heureusement d'ailleurs, car elle a franchi toutes les étapes de sélection et, finalement…

— ... contre toute attente... J'AI DÉCROCHÉ LE TRAVAIL!

— Tu as de quoi être fière de ta maman, ma belle. Elle s'est classée première sur plus de cent cinquante postulants!

Je te mentirais si je te disais ne pas avoir alors éprouvé un grand respect pour ma mère. Je trouvais sa performance remarquable et tant mieux si sa promotion la transportait au septième ciel comme elle le montrait si bien à cet instant. Mais j'ai vite déchanté lorsqu'elle a ajouté:

— Mon salaire est doublé, on me fournit l'auto de l'année, mes frais de représentation sont augmentés et, tiens-toi bien, ma belle chouchoune adorée... on déménage dans un des plus beaux quartiers de Toronto, histoire de demeurer tout à côté de mon travail.

Mes oreilles ont failli se décoller, tant j'ai été abasourdie par ce que je venais d'entendre. Il devait sûrement y avoir une erreur. J'essayais de me convaincre que j'avais mal compris.

Que c'était une grosse farce plate. Ou un vulgaire canular. Avec un filet de voix à peine audible, j'ai demandé :

— Ce qui veut dire ?

— Qu'avec cette chance inouïe, on part très prochainement. Allez, ma cocotte, viens embrasser ta petite maman d'amour avant d'aller préparer tes bagages.

J'avais plutôt envie d'étrangler celle qui prétendait être « ma petite maman d'amour » ! L'auréole que je lui avais mise en pensée tout à l'heure sur la tête venait de prendre une méchante dégringolade. J'ai couru dans ma chambre, claqué ma porte et crié :

— Déménagez si vous voulez, MOI JE RESTE ICI ! Dans mes affaires. Dans mon chez-moi.

Puis j'ai pleuré. Pleuré à m'épuiser. Pourtant, je n'étais pas au bout de mes peines. Heureusement d'ailleurs que je ne savais pas tout ce qui m'attendait. Sinon, l'inondation aurait été plus forte et j'aurais pu me noyer dans mes larmes !

2

Toronto par-ci...
Toronto par-là

Je n'en reviens pas! Tout simplement pas! Qu'on n'essaie jamais de me convaincre que les adultes ont de la suite dans les idées!

Déménager! Comment mes parents peuvent-ils vouloir déménager alors que, depuis des années, ils passent leur moindre temps libre à astiquer, à décorer et à enjoliver notre maison.

«Ça en vaut la peine, répètent-ils régulièrement. On est si bien chez nous!»

C'est pas compliqué... papa a dû repeindre au moins trois fois, à l'intérieur comme à l'extérieur, chaque centimètre carré du sous-sol au grenier, en passant par le garage et le cabanon. Deux couches partout à part ça! Au bas mot, pas loin de trois mille quatre cent cinquante litres de peinture étendus sur les murs, plafonds et planchers de notre demeure. Au petit rouleau... Pour une plus belle finition, évidemment!

Pour sa part, maman a planté tellement de bulbes, de fleurs vivaces, de rosiers, d'arbustes et d'arbres que notre parterre ressemble au Jardin botanique. «Une façon de s'enraciner!» a-t-elle toujours clamé haut et fort.

S'enraciner, mon œil! Voilà que maintenant, à cause d'un fichu coup de téléphone, ils sont prêts à tout abandonner. À oublier les douze années passées à personnaliser le nid familial pour le rendre à notre image.

À oublier tout le temps, l'amour et l'énergie investis à créer un p'tit chez-nous qui nous ressemble. Et de surcroît, laisser tout ça à des étrangers pour accourir, les yeux fermés, à Toronto.

Parce qu'il faut entendre mes parents depuis cet appel... Toronto par-ci... Toronto par-là... Plus rien d'autre ne semble exister !

SURTOUT PAS MON OPINION !

En plus, figure-toi que mes parents sont tout étonnés de ma réaction. Ils ne comprennent pas pourquoi je fais un drame d'une « si bonne nouvelle » ! GRR ! Ils s'attendaient peut-être à ce que je leur saute dans les bras ? Ou que je leur embrasse les pieds pour les remercier de chambouler aussi radicalement ma vie.

Non, mais... il faut le faire ! Me mettre devant le fait accompli, m'entraîner, sans me consulter, dans leurs projets à « EUX » et croire que je vais avaler le tout avec un sourire à me décrocher les mâchoires. Vois un peu le genre de remarques qu'ils me servent quotidiennement depuis quelques jours :

— Tu nous déçois beaucoup, Minnie. On t'offre une opportunité sensationnelle et, plutôt que de profiter de cette chance, tu te fermes comme une huître.

— Sais-tu que bien d'autres enfants donneraient cher pour être à ta place ?

Eh bien, soit ! Si quelqu'un veut ma place, qu'il la prenne ! Je ne demande pas mieux. Dix, vingt… mille personnes. Je ne suis pas regardante. Ils pourront constater par eux-mêmes combien on est mal dans la peau de Minnie Bellavance lorsqu'on lui offre de telles « opportunités » !

Ce n'est pas compliqué, je n'arrive tout simplement pas à comprendre. Comment mes parents, que j'ai toujours pensé sensés, peuvent-ils s'enthousiasmer au point d'en devenir complètement dingues, pour un projet aussi débile que celui de déménager à Toronto en abandonnant tout ce que l'on a ici ? Comme si, à part cet emploi, il n'existait plus rien d'autre dans notre vie. Eux qui me disent toujours de ne pas mettre tous mes œufs dans le même panier !

Ha ! bien sûr, ils m'ont servi tous les arguments massue pour tenter de me convaincre du bien-fondé de leur décision. Qu'ils ne faisaient pas cela juste pour eux. Qu'au fond, je serais la première à bénéficier d'un tel changement. D'ailleurs, ils n'ont pas ménagé leurs efforts :

— C'est une occasion rêvée pour toi d'apprendre l'anglais. Rien de mieux que l'immersion totale. De nos jours, maîtriser deux langues me semble minimal.

— GNAGNAGNA !

— Prends ton cousin Charlie. Dix-sept ans, parfait bilingue. On se bat presque pour obtenir ses services. Avec, pour résultat, qu'il a même le loisir de trier sur le volet ses jobs d'été.

J'étais bleue. Bleu marine foncé. Oser comparer ma situation à celle de Charlie ! J'ai aussitôt répliqué :

— On n'a jamais obligé Charlie à s'exiler, LUI, pour apprendre l'anglais. Il a choisi de plein gré, LUI, de participer à un échange d'étudiants dans une province anglophone. Son projet à LUI avait une date de retour! Pas le vôtre!

Penses-tu que mes parents ont été désarçonnés? Pas une miette. Ils ont continué de plus belle:

— On va avoir une bien meilleure qualité de vie, Minnie. Mon nouvel emploi m'offre des avantages comme jamais je n'en ai eu. Et puis...

J'ai coupé court au discours de maman. Je croyais avoir trouvé une faille dans leur beau conte de fées. Sur un ton provocant, j'ai dit:

— Et papa? Il va voyager matin et soir, Québec-Toronto, peut-être?

— Non, non! Rassure-toi, de déclarer Edmond. J'ai sondé le terrain et je peux obtenir ma mutation dans une filiale torontoise. Imagine-toi que ma compagnie était justement à la recherche de collaborateurs parlant français.

J'enrageais. J'avais de plus en plus l'impression d'être victime d'un impitoyable complot où les moindres détails avaient été ficelés à mon insu. Surtout lorsque maman a ajouté :

— Autre privilège : mon nouveau patron a réussi, grâce à ses contacts personnels, à t'inscrire au Santa Maria Serghenti Immersion Covent, l'institution scolaire la mieux cotée de Toronto. C'est là qu'étudient toutes les jeunes filles de bonne famille.

Ma mère dépassait les bornes. Si elle pensait me faire quitter mon école chérie, où j'étais engagée avec mes amis dans un million deux cent mille activités, pour me parachuter dans une cage avec des poules savantes et prétentieuses, elle se trompait royalement. Même le nom ne m'inspirait pas confiance. Alors, j'ai hurlé de toutes mes forces :

— Je ne veux rien savoir de votre Santa machin-truc à spaghetti, de votre nouveau niveau de vie et des prétendus privilèges qui viennent avec. ON EST HEUREUX ICI. Je ne vois pas pourquoi il faudrait se garrocher à Toronto comme si c'était la huitième merveille du monde. Revenez un peu sur terre. Vous allez peut-être enfin réaliser que votre projet n'a pas d'allure.

Ouille! ouille! ouille! Et moi qui pensais mes parents sur un nuage. S'ils y étaient, je te jure qu'ils ont atterri rapidement. Du moins assez rapidement pour me servir un grand discours sur la politesse et le respect avec, en prime, un voyage-réflexion illico presto dans ma chambre!

Malheureusement pour moi, les difficultés ne faisaient que commencer!

3

La guerre froide

Depuis le mémorable appel télé-
phonique, la maison ressemble à un
champ de bataille! Tout est sens
dessus dessous! Moi la première!

Des dizaines de boîtes jonchent le
sol. Il y a d'abord toutes celles que le
camion de la Saint-Vincent-de-Paul va
venir chercher pour distribuer aux personnes dans la nécessité. Le véhicule

a besoin d'être énorme, sinon le chauffeur va devoir faire au moins cent voyages !

Ensuite, il y a les caisses de trucs à recycler. Les usines de récupération ont intérêt à doubler le nombre de leurs employés pour la semaine qui vient, car il va y avoir un arrivage gigantesque de papier, de métal, de plastique en provenance de chez nous. Quant aux boîtes à jeter, je ne serais pas étonnée, étant donné leur nombre, qu'à compter de demain, tous les dépotoirs de la région affichent complet.

Enfin il y a les boîtes que l'on apporte avec nous. L'inventaire n'est pas long à faire. Trois boîtes. Trois pauvres petites boîtes rachitiques contenant quelques souvenirs que l'œil scrutateur de ma mère a consenti à épargner.

— Il faut repartir à neuf, Minnie, me sermonne maman à longueur de journée.

— Voir devant, ne pas s'accrocher au passé, ajoute immanquablement papa. Secoue-toi un peu, Minnie. C'est

à Toronto qu'on s'en va. Pas à l'écha-faud!

Drôle. Très drôle. Comme si, désor-mais, je devais effacer de ma mémoire toute trace de mon enfance. Faire abstraction des puissants liens qui m'unissent à mes amis. Supprimer tout ce qui peut rappeler ma vie à Québec. Bref... ne plus avoir aucune attache, tout ça parce qu'il y a désor-mais TORONTO.

J'ai mal par en dedans. Mais qui s'en rend compte? Sûrement pas Edmond ou Anne-Marie. Pour l'instant, mes parents sont obnubilés par le déménagement. Ils prennent si peu en considération ce que j'éprouve, que je ne serais même pas étonnée s'ils me mettaient au rancard, comme toutes les choses qui ont meublé notre quotidien jusqu'à ce jour! Saint-Vincent-de-Paul... usine de recyclage... dépotoir? Me laisseront-ils au moins le choix? Je te le jure... j'exagère à peine!

Je ne sais plus quoi inventer pour leur faire comprendre que ce déménagement me dérange jusqu'au plus profond de la moindre de mes cellules. J'ai tout essayé. Les crises de larmes, les bouffées d'angoisse, la discussion, les arguments, la supplication, les promesses. J'ai même évoqué les traumatismes psychologiques possibles. J'avais lu ça dans une revue. Mais rien. Rien à faire. Que je boude ou que je fasse la grève de la faim, que je m'enferme dans ma chambre ou que j'alerte tout le quartier, ils demeurent imperméables. Inébranlables. Inflexibles. Leur idée est faite. Vive Toronto! Un point, c'est tout.

J'en ai évidemment parlé à Frida, ma meilleure amie. Je m'attendais à ce qu'elle m'appuie de façon inconditionnelle, comme elle a toujours su le faire. J'espérais qu'ensemble, on pourrait élaborer des plans pour renverser la décision de mes parents et monter une offensive si solide qu'Edmond et Anne-Marie n'auraient eu qu'à s'incliner devant notre force.

J'avais rêvé en couleurs. En couleurs et en Imax. Crois-le ou non, malgré sa peine de me voir partir, Frida a préféré se ranger du côté de mon père et de ma mère, en me récitant le pire discours moralisateur que j'avais jamais entendu de la part d'une jeune de mon âge :

— Fais confiance à tes parents, Minnie. Ils agissent toujours pour le mieux, tu le sais bien. Et puis... on pourra s'écrire et s'inviter en vacances. Je ne suis jamais allée à Toronto. Chouette ! V'là ma chance !

Ce n'est pas compliqué, j'aurais mis dans un sac à ordures celle qui prétendait être ma fidèle et inséparable amie. Direction... le dépotoir, avec tout ce dont on voulait que je me débarrasse. GRR !

Prix de consolation... il me restait la complicité indéfectible de mes grands-parents. J'imaginais déjà les bras chaleureux de mamie Victoria me réconfortant tandis que papi Julo blâmerait d'un regard meurtrier mes deux inconscients de parents qui osaient déraciner sa petite-fille chérie. Dans un moment de fabulation, je voyais même papa et maman agenouillés à mes pieds, me demandant pardon.

Eh bien! je m'étais mis une fois de plus un doigt dans l'œil. Et pas à peu près... Au moins jusqu'au coude. Non! Jusqu'à l'épaule. En tout cas, pas mal loin!

Accordant leurs voix à l'unisson, comme s'ils s'étaient consultés, mes chers aïeuls ont déclaré:

— Minnie! Il faut te faire une raison. Tu ne peux pas saboter un beau projet comme celui-là juste pour satisfaire tes petits caprices personnels.

Je me sentais comme une bête déchaînée. J'avais envie de mordre quelqu'un. Avec ma rage accumulée, ma bouchée aurait fait un beau gros trou dans le derrière de ma victime. Un trou si gros que le blessé serait probablement reparti avec une seule fesse!

Ça m'aurait vraiment fait du bien! Mais, pour m'éviter de nouveaux ennuis, j'ai jugé préférable de retenir mes élans carnivores. Puisque mon destin était d'être une éternelle incomprise, mieux valait ignorer mes tortionnaires et affronter seule ma fatalité.

Claquant les talons, je suis sortie la tête haute, laissant mes adversaires à leurs bêtises. Tout le monde s'acharnait contre moi. Eh bien, soit! Qu'ils croupissent avec leurs idées bornées d'*abrutis engourdis par Toronto de nono*!

J'avais autre chose à faire que de les entendre jacasser comme des pies. J'avais ma peau à sauver. Et il me restait bien peu de temps pour y arriver. Si toutefois j'y arrivais!

4

L'occasion

Toute la nuit, je me suis trituré les méninges pour tenter de trouver un moyen d'empêcher notre départ pour Toronto. Mais, dès que j'échafaudais un plan, je me rendais compte du ridicule de mon entreprise. Il n'est pas facile de se battre contre des géants.

Ne va pas croire que je suis du genre à abandonner à la première difficulté.

Au contraire, l'adversité me stimule. Mais j'ai beau faire la fière, dans le contexte où je te parle, je ne suis pas plus grosse qu'un pet de pou. Que veux-tu que je fasse à douze ans ? Racheter la maison de mes parents ? Simuler une maladie capable de compromettre notre déménagement ? Pas très crédible. Je pourrais toujours décourager les éventuels acheteurs d'accéder à notre propriété, sauf que, depuis que l'on reçoit des visiteurs, papa et maman s'empressent toujours de m'expédier à l'extérieur pour faire des commissions. On dirait qu'ils craignent que je ne sabote leurs discussions. Ils n'ont peut-être pas tort !

Je m'étire en récapitulant pour la millionième de énième fois les hypothèses envisagées. Et pour la millionième de énième fois, je grimace, aucune idée ne trouvant grâce à mes yeux.

Sur ces entrefaites, mes parents arrivent en trombe dans ma chambre. Ce n'est pas encore aujourd'hui qu'ils vont comprendre qu'il faut frapper avant d'entrer. Je suis sur le point de rouspéter, mais papa prend la parole avant même que je n'entrouve la bouche :

— Minnie... on est coincés. Un rendez-vous imprévu. Ta mère et moi devons nous rendre immédiatement à Montréal. Encore des détails à régler dans une histoire juridique qu'on croyait classée depuis longtemps. Ça nous embête, mais on a pas le choix.

— Il va sûrement y avoir des visiteurs aujourd'hui pour la maison. Entre autres, un couple qui est venu à plusieurs reprises, qui semble fort intéressé, mais qui désire revoir les lieux encore une fois avant de prendre sa décision finale. TOUT CE QUE TU AS À FAIRE, C'EST DE LES ACCUEILLIR ET DE LES LAISSER VISITER À LEUR GUISE.

— Tu prends les coordonnées, si ce sont de nouveaux visiteurs. Pour les renseignements, tu leur dis qu'on communiquera avec eux dès demain matin.

— Salut, ma belle cocotte. On doit filer. Tu es bien gentille de rester à la maison pour nous dépanner. Habille-toi en vitesse et ramasse un peu ce qui traîne. Et n'oublie pas : « LES REN-SEIGNEMENTS, C'EST NOUS QUI NOUS EN OCCUPONS. » Salut, ma grande ! On t'aime.

Clac ! Clac ! La porte de la maison se referme sur mes parents. Leur incursion dans ma chambre aura duré, au plus, dix secondes et demie. Le temps d'un courant d'air. Mais ce bref délai aura été suffisant pour me permettre d'allumer ; je tiens peut-être entre mes mains la chance inespérée de faire échouer la vente de ma maison.

Ding, dong ! Par la fenêtre, j'entrevois les premiers clients de la journée. Je n'aurai pas le loisir de planifier le scénario à adopter. Tant pis ! J'improviserai.

Je cours ouvrir. Sur le seuil, un jeune couple se tient bras dessus, bras dessous. Les deux tourtereaux se décochent des regards langoureux comme s'ils étaient seuls au monde. Ils ont l'air éperdument amoureux, égarés dans un rêve où je ne semble pas exister. Je toussote et dis :

— You-hou ! Bonjour !

Le jeune homme serre sa dulcinée comme si quelqu'un allait la lui voler. Il finit par susurrer :

— Bonjour... Excuse-nous. On est un peu nerveux. C'est une grosse décision qu'on doit prendre. Ce n'est pas tous les jours qu'on achète une maison. Est-ce que tes parents sont là ?

— Non. Ils ont dû s'absenter pour la journée.

— Ah ! fait-il, visiblement déçu. Est-ce qu'on peut quand même re-re-re-re-visiter ? Tu ne nous croiras pas, mais c'est la cinquième fois qu'on vient. Mon petit doigt me dit qu'on doit s'approcher de la signature du contrat !

— On visite seulement si on ne te dérange pas, ajoute sa bien-aimée avec le sourire le plus fabuleux que j'aie jamais vu.

Je n'ai pas d'autre choix que de les laisser entrer. Mais leur gentillesse complique les choses. Comment monter un bateau à des gens aussi sympathiques? Tout aurait été tellement plus facile si mes rivaux avaient été laids, boutonneux, grognons, morveux et puants de la bouche. Au lieu de quoi, j'ai devant moi les deux individus les plus aimables et les plus romantiques du vingtième siècle. Grr!

Je ne dois pourtant pas perdre de vue mon objectif. Si je ne réagis pas immédiatement, je vais me laisser engourdir par leur belle romance et me réveiller en plein cauchemar, avec ma maison vendue. Je dois donc me ressaisir et tenter de crever la balloune sur laquelle ils flottent. Mais comment m'y prendre pour les faire déchanter; ils semblent en pâmoison devant tout ce qu'ils voient, poussant à tour de rôle des «ah!» et des «oh!» si passionnés qu'on croirait qu'ils viennent de découvrir le paradis terrestre.

— Chaque fois que j'entre dans cette maison, déclare la jeune femme, je me sens envahie par une paix profonde. Il y a vraiment ici une atmosphère particulière. C'est fou, mais on dirait que tous mes problèmes s'envolent, pas seulement parce que c'est beau mais parce qu'on s'y sent bien.

— Venant de toi, mon amour, je suis convaincu que c'est vrai. Tu es tellement sensible aux ambiances !

Puis, se tournant vers moi, il continue :

— Des fois j'ai l'impression que pour... Oups ! on a oublié de faire les présentations. Voici ma femme, Gabrielle Rossignol. Moi, c'est Frédéric Ripon. Et toi ?

— Minnie. Minnie Bellavance.

— Enchanté. Je disais donc que des fois, j'ai l'impression que Gabrielle ressent tout ce qui a pu se vivre antérieurement dans une maison. Imagine-toi donc que, dernièrement, on a failli acheter un condo vraiment joli, bien situé et qui correspondait exactement à ce qu'on cherchait. Pourtant, chaque fois qu'on allait le visiter, Gabrielle se sentait mal. Elle disait qu'il y avait quelque chose qui n'allait pas, mais elle ne savait pas quoi. Un jour, on a appris que l'ancien propriétaire avait été reconnu coupable d'un meurtre et que le crime avait eu lieu sous ce toit.

— Horreur ! Dire que j'aurais pu demeurer dans un endroit qui avait abrité un tueur. Rien que d'y penser, j'en tremble encore. Heureusement que je suis intuitive. Ici, ce n'est pas pareil... Je suis sûre que cette maison n'a abrité que de belles histoires.

Plus j'écoutais Gabrielle, plus je flairais la piste à suivre pour empêcher la vente de ma maison. Je n'aime pas mentir. Ah ! ça, non ! Mais... autant l'avouer, j'ai parfois une facilité déconcertante à exagérer certains faits. Ou carrément à en inventer d'autres. Et à jouer si bien le jeu que je finis par y croire. Mes professeurs parlent d'imagination débordante, doublée d'une expression théâtrale hors pair. Peu importe... La mise en scène qui mijotait dans ma boîte à idées allait me servir à coup sûr.

Dommage pour Frédéric et Gabrielle ; je les aimais bien. Mais lorsque je pensais à Toronto, tous les moyens étaient bons pour éviter d'y arriver trop tôt !

5

Improvisation

— **O**hhhh!

Le cri a retenti alors que Gabrielle continuait à vanter les ondes positives de ma demeure. Maintenant, deux paires d'yeux me fixent, étonnés.

— Quelque chose qui ne va pas, Minnie? s'informe Frédéric, attentif.

Prenant un air apitoyé, j'ajoute:

— Non, non. Moi, ça va. Mais...

— Mais quoi? s'inquiètent d'un même souffle le mari et la femme.

Je tortille la bouche. Je baisse les paupières. Je bats des cils. Je fixe tour à tour le plancher et le plafond. Je soupire profondément. Je tortille de nouveau la bouche. Je crois que Frédéric et Gabrielle oublient de respirer, tant ils sont suspendus au plus infime de mes mouvements.

Je suis l'unique centre d'intérêt, alors j'en rajoute un peu. Je porte une main à ma bouche, étouffant quelques « tss-tss-tss » tout en faisant non avec la tête. Puis, dans une volte-face théâtrale, je plonge un regard de petit chien battu directement dans les yeux de Gabrielle et déclare de façon à peine audible :

— Je ne sais pas si je dois le dire.

Je fais semblant de réfléchir à la question. J'obtiens l'effet escompté. La curiosité des deux intéressés est décuplée. On jurerait qu'ils sont branchés au moindre de mes gestes. Il est évident qu'ils s'attendent à ce que je poursuive. Et, bien qu'ils le veuillent, à voir leur mine consternée, il est clair qu'ils appréhendent également l'instant où je reprendrai la parole.

La tension est éléphantesque. Un peu plus et on pourrait la toucher. Tel un affreux tyran, je continue pourtant à faire languir mes deux victimes. J'ai besoin de gagner quelques secondes pour mieux forger l'histoire que je vais leur servir.

N'en pouvant plus, Frédéric rompt le silence :

— Qu'est-ce qu'il y a, pour l'amour du ciel ? On dirait qu'une catastrophe se prépare.

— Catastrophe... Une catastrophe. C'est bien ce que je voudrais vous épargner.

Je pousse alors un soupir long comme un circuit de marathon. Je m'affale ensuite sur le sofa, la tête entre les deux jambes. Aussitôt, je suis entourée, à ma droite et à ma gauche, par deux individus perplexes qui ne savent trop quelle attitude adopter.

L'un me caresse le dos ; l'autre, les cheveux. Chacun m'invite à me détendre tout en me pressant de m'expliquer. Me pressant même de façon de plus en plus insistante.

— Tu en as trop dit pour t'arrêter, reprend Gabrielle.

— Mais pas assez pour qu'on sache de quoi il retourne, poursuit Frédéric.

— Alors, vas-y! ajoutent-ils à l'unisson.

Je ressemble maintenant à un citron écrabouillé dans un extracteur. Je n'ai plus le choix, je dois donner du jus. Pour améliorer ma stratégie, je commence délibérément par une phrase énigmatique:

— Les apparences sont parfois si trompeuses...

— Accouche qu'on baptise! crie Frédéric en gesticulant comme un moulin à vent détraqué. Pourquoi nous fais-tu languir si longtemps?

— Chut! Tout doux, intervient Gabrielle, plus diplomate, mais visiblement aussi exaspérée. Tu vas l'effrayer et on ne sera pas plus avancés.

Pesant ses mots, Gabrielle cherche à m'amadouer. Elle me fait penser à maman lorsqu'elle est fâchée, mais qu'elle veut user de « psychologie » avec moi !

— Prends le temps qu'il faut, Minnie. Ce n'est pas toujours facile de dire ce qui nous tracasse. Mais tu vas voir... ça va te soulager d'en parler.

Ce qui me soulagerait surtout, ce serait d'éviter la vente de ma maison. Le moment est venu. Jouons le tout pour le tout !

— Il faut d'abord que vous me juriez de ne rien dire à mes parents.

Je toise Gabrielle et Frédéric. Les secondes s'étirent comme de la guimauve dans un bol de chocolat chaud. Voyant que je ne poursuivrai pas sans avoir obtenu leur promesse, mes deux interlocuteurs finissent par murmurer en soupirant :
— Promis.

— Lorsqu'on achète une maison, on n'achète pas uniquement un bâtiment. Ici, tout semble parfait... MAIS... vous êtes-vous demandé pourquoi mes parents tenaient tant à vendre?

— Facile à comprendre, réplique Frédéric. Leurs emplois les amènent à Toronto.

— Vrai... mais seulement en partie...

Je lis de grosses interrogations dans les yeux du couple. J'espère seulement que papa et maman n'ont jamais mentionné à quel point je ne voulais pas déménager. Sinon, ça détruit tout le baratin que je m'apprête à raconter. Je prends pourtant le risque de poursuivre:

— Le prétexte est excellent, car il permet de camoufler toutes les autres raisons. Sauf que... Toronto ou pas, on aurait déménagé de toute façon.

Mon affirmation soulève l'étonnement que j'espérais. Les deux aspirants acheteurs me dévisagent comme s'ils venaient d'apercevoir un schtroumpf à roulettes.

— Pourquoi? demandent-ils simultanément.

— Tout simplement… à cause… des voisins!

Là, j'ai une pensée émue pour la famille Letendre et pour mademoiselle Levert dont je m'apprête à démolir la réputation. Je ne m'aime pas, mais… à la guerre comme à la guerre! Surtout si cela fait partie du prix à payer pour éviter Toronto.

— Les voisins? Qu'est-ce qu'ils ont, les voisins?

— Vous tenez vraiment à le savoir? Vraiment, vraiment?

Les Rossignol-Ripon acquiescent, de part et d'autre, d'un signe de la tête.

— Alors… suivez-moi.

6

Le repère
des motards

Grimpant les escaliers quatre à quatre, j'entraîne vers le grenier un Frédéric et une Gabrielle perplexes. J'ouvre la lourde trappe et me hisse sous les combles du toit, tendant la main pour aider mes deux victimes.

La pièce est obscure. Seul un œil-de-bœuf laisse filtrer un peu de lumière.

Je guide le jeune couple jusqu'à cette petite fenêtre ronde et dis :

— Regardez !

Frédéric et Gabrielle s'étirent le cou et jettent un coup d'œil par l'ouverture. Ne sachant trop quoi observer, leurs yeux se baladent de haut en bas, et de gauche à droite, à la recherche d'un détail significatif. Après quelques instants de ce manège, ils se retournent vers moi en haussant les épaules.

— Pour ma part, je n'ai pas vu de gros monstre... Toi, Gabrielle ?

— Moi non plus !

Je sens le poids de leur regard. Un regard qui pèse au moins deux tonnes et trois quarts. C'est raide pour l'assurance ! Mais ce n'est pas le moment de faiblir. Heureusement qu'il fait sombre ; ma nervosité s'en trouve mieux camouflée ! J'arrive malgré tout à déclarer :

— Erreur numéro un ! Croire que seuls les décors sordides peuvent servir de toile de fond à des scènes horribles. Pourtant, le banal décor que vous venez

d'apercevoir, sous ses apparences ano-
dines, est le théâtre d'une bien affreuse
réalité. Oh oui... d'une bien affreuse
réalité!

Je prends un ton dramatique et
affecté. J'excelle en la matière. Mais
j'ai hâte que mes deux poissons mor-
dent à l'hameçon.

— Com-ment-ça? articule Frédéric
en détachant soigneusement chaque
syllabe sur un ton moqueur. Qu'est-
ce qu'il y a de si affreux chez tes voisins?

— Vous n'avez pas remarqué, côté
gauche, les hautes palissades? Les
motos dans la cour? La tête de mort
dessinée sur une fenêtre du cabanon?

Je sais pertinemment que le fils de
monsieur Letendre répare des motos,
que son père a érigé de hautes clôtures
à l'arrière par respect pour les voisins
afin de leur éviter de voir toute la quin-
caillerie, que le garçon en question est
doux comme un agneau et que la tête
de mort est le résultat d'un pari idiot
relevé un soir d'Halloween. Mais j'entends bien utiliser ces détails à ma

façon, pour servir ma cause, évidemment !

Gabrielle et Frédéric jettent à nouveau un coup d'œil par la petite fenêtre. Ils n'ont pas l'air impressionné. Je dois donc poursuivre si je ne veux pas que mon histoire meure, étouffée dans l'œuf.

— Sous les apparences d'une tranquille maison de quartier, tenue par un propriétaire on ne peut plus convenable, se cache, croyez-le ou non, un terrible repère de motards. Et ça, C'EST L'ENFER.

Je marque une pause pour permettre à mes interlocuteurs d'assimiler ce que je viens de leur révéler. Je repars de plus belle, accentuant certains mots, m'étranglant sur d'autres :

— Il faut le vivre pour le croire. Pétarades nocturnes. Rassemblements incroyables d'individus plus louches les uns que les autres. Combines douteuses. Et, surtout, une loi du silence à respecter. Sinon…

— Bien, voyons ! interrompt Gabrielle. Vous n'avez qu'à prévenir la police pour qu'elle vienne faire du ménage là-dedans. C'est un quartier résidentiel, ici, après tout ! Vous n'avez pas à tolérer ça !

— Facile à dire ! Mais pas évident lorsque tu reçois des menaces. J'ai... j'ai déjà retrouvé un de mes chiots pendu sur un poteau de la clôture.

Malgré la pénombre, je devine la mine dégoûtée de Gabrielle. J'ai enfin touché une corde sensible. Autant exploiter à fond le filon, même si ce n'est pas mon genre habituel de conversation.

— Sans compter les lettres anonymes qu'on glisse régulièrement dans notre boîte aux lettres. Souvent, c'est une tête de mort dessinée. Mais, une fois, j'ai reçu une queue d'écureuil. Le lendemain, j'ai constaté que le petit écureuil que j'avais apprivoisé était handicapé. Ça m'a traumatisée.

— Ouache ! c'est dégueulasse ! pleurniche Gabrielle.

— Dégueulasse, c'est bien le mot. Surtout qu'on ne peut rien faire. Excusez-moi, mais... il fallait que je vous le dise. Pour que vous sachiez exactement dans quoi vous vous embarquez si jamais vous achetez.

Baissant la voix, j'ajoute pathétiquement :

— Je ne l'aurais pas fait pour n'importe qui, mais, pour vous, ce n'est pas pareil... Vous êtes beaux, jeunes, sympathiques... Vous n'en parlerez pas à mes parents, hein... promis ?

Pour ajouter de l'émotion à mes propos, j'éclate en sanglots en me jetant dans les bras de Gabrielle. Fin du premier acte !

La révélation a porté fruit. Frédéric et Gabrielle sont ébranlés. Après m'avoir consolée, ils sont redescendus à ma suite au rez-de-chaussée.

— Tu parles d'une affaire, déclare Frédéric en faisant les cent pas dans le salon. C'est dur à croire. Rien n'y paraît.

— C'est vrai, renchérit Gabrielle. Nous sommes venus à cinq reprises. À des heures différentes. Et jamais le moindre indice d'une telle activité.

— Es-tu certaine, Minnie, que c'est aussi grave que ça?

Je réalise qu'«ébranlés» ne veut pas forcément dire «convaincus». Sans mettre en doute ce que je leur ai divulgué, mes deux victimes commencent à dédramatiser mes paroles. Ils tiennent tellement à acheter ma maison qu'ils sont prêts à faire l'autruche pour accéder à leur rêve. Plus coriaces que prévu!

Bon! je n'ai pas le choix! Puisque la beurrée n'est pas assez épaisse, je vais devoir en remettre...

L'heure est arrivée de passer à l'acte deux!

7

La Polonaise

— **M**in-nie ? s'impatiente Frédéric.
On dirait que tu ne nous écoutes plus.

C'est vrai que j'ai la tête ailleurs.
Par la fenêtre, je viens d'apercevoir
monsieur Letendre qui taille les rosiers
devant sa maison, avec amour et déli-
catesse. Il porte des bermudas fleuris
et un chapeau de paille qui lui con-
fèrent l'air d'un grand-papa gâteau.

Ouille ! ouille ! ouille ! Rien à voir avec le rôle de terrible chef de motards que j'ai osé lui attribuer.

— Je… j'ai… Il faudrait… Peut-être que… j'ai…

Je bafouille comme une nounoune, estomaquée par cette scène champêtre. Mes répliques tiennent beaucoup plus de l'impro que du théâtre. Il n'y a pas de souffleur pour m'indiquer comment amorcer l'acte deux. Et, surtout, je ne sais pas du tout où je m'en vais.

Je parviens finalement à articuler :

— Voilà… j'ai autre chose à vous dire.

Frédéric et Gabrielle soupirent, se renversent sur le sofa, me fixent et attendent que je poursuive.

— Il n'y a pas seulement les voisins de gauche qui causent un problème.

Je ferme les yeux en priant pour que mes interlocuteurs ne regardent pas par la fenêtre. Je perdrais alors toute crédibilité… Monsieur Letendre bichonne maintenant les fleurs de ses rocailles avec tellement de soin que, pour un peu, on croirait qu'il les caresse une à une !

Je me lève et m'empresse d'ajouter :

— À droite vit une demoiselle... comment dire ?... pour le moins excentrique.

Tout en parlant, j'invite Frédéric et Gabrielle à me suivre dans la cuisine. De là, impossible de voir monsieur Letendre. C'est déjà ça de gagné !

— La pauvre s'appelle mademoiselle Levert. Elle n'est pas vraiment méchante, mais elle est si bizarre que tout le monde la surnomme «la sorcière». Et, pour être bien franche, malgré tout le respect que je lui dois, certains jours je ne suis pas loin d'y croire.

Je ne m'aime vraiment pas de raconter de telles choses sur mademoiselle Levert. D'autant plus que j'ai toujours été son ardente défenderesse. Mais lorsque je songe à Toronto, je suis bien prête à me pardonner quelques petits écarts de conduite. D'ailleurs, si tout se passe correctement, mademoiselle Levert n'en saura jamais rien. Cette pensée m'encourage à continuer :

— Le véritable nom de mademoiselle Levert est en fait Levertdwiskyàlôdulàc. Polonaise d'origine, elle a fui son pays pendant la Deuxième Guerre mondiale pour échapper aux atrocités que la Gestapo réservait à ceux qui protégeaient les juifs. Or, son fiancé était juif. Ensemble, ils ont échafaudé un plan pour atteindre l'Amérique. Par mesure de sécurité, ils devaient filer séparément et se rejoindre au Québec, chez des amis qui avaient déjà réussi l'exploit. Voilà plus d'un demi-siècle que cette guerre est terminée et mademoiselle Levert attend toujours son Rudi.

Tout cela est vrai et ne dérange d'aucune manière le fait d'être ou de ne pas être voisin de mademoiselle Levert. C'est maintenant que je dois jouer sur son image et inventer un portrait différent de celui que j'affectionne tant.

— Mademoiselle Levert a comme oublié d'évoluer. Elle vit encore avec les us et coutumes de son peuple, à l'époque où elle a quitté la Pologne.

Laissez-moi vous dire que ça la rend très différente des autres résidants du quartier. Oh oui… très, très, très différente.

Je laisse planer un silence chargé de mystère où toutes les suppositions sont permises.

— Ma voisine a aussi plusieurs petites manies qui, à la longue, peuvent devenir dérangeantes. Prenez par exemple… Oh non… Venez plutôt constater par vous-mêmes. Il est midi… C'est l'heure d'un de ses rituels préférés. Vous verrez bien.

Je précède Frédéric et Gabrielle dans la cour. Par une brèche de la clôture, on peut aisément observer mademoiselle Levert vaquer à ses occupations. Des dizaines de cages sont disposées un peu partout sur son terrain. Des dizaines de chats s'y trouvent. Vêtue comme si elle sortait d'un film des années 1940, ma voisine se promène d'une cage à l'autre, lançant des poissons crus aux félins et psalmodiant des mots inconnus aux chats qui miaulent à fendre l'âme.

Ensuite, mademoiselle Levert recommence sa tournée, prenant à tour de rôle chacun des animaux encagés. Elle les examine alors de si près qu'on pourrait croire qu'elle les renifle. Pour quelqu'un qui n'en a pas l'habitude, c'est un spectacle des plus étranges.

Je réponds aux multiples questions de Frédéric et de Gabrielle, mais j'omets évidemment de préciser que mademoiselle Levert est d'une bonté incommensurable, qu'elle ramasse et soigne chez elle tous les chats blessés ou malades, ainsi que les portées de chatons dont personne ne veut, qu'elle est d'une propreté méticuleuse, nettoyant quotidiennement les cages, et que sa vue est si déficiente qu'elle doit approcher à deux millimètres de ses yeux tout ce qu'elle veut observer. Pas plus que je ne parle des écheveaux de laine qu'elle colore avec de magnifiques teintures végétales qu'elle fait mijoter dans son gros chaudron en étain. À la place, je donne la version suivante :

— Vous avez de la chance... ça ne pue pas trop aujourd'hui... Le nettoyage annuel a eu lieu récemment. Par contre, je n'ai jamais su ce qu'il advenait des chats qu'elle renifle. J'espère juste qu'ils ne finissent pas dans le gros chaudron d'eau qui bout sur le poêle à bois que vous avez vu dans le fond de la cour. La nourriture des autres pays n'est pas forcément la nôtre, n'est-ce pas ?

— Bon ! je pense qu'on va prendre congé. Merci, Minnie, pour le temps que tu nous as accordé. Et puis, même si elles sont déchirantes, merci pour tes révélations. On sait dorénavant à quoi s'en tenir.

Frédéric attire vers lui une Gabrielle toute désolée. Elle fait la même tête que moi le jour où j'ai réalisé que le père Noël n'existait pas pour vrai de vrai !

Gabrielle avance comme un automate, guidée par son petit mari visiblement empressé de quitter ce lieu de tant de désillusions. Malgré les sanglots qu'elle retient, la jeune femme parvient à articuler :

— Même si ça fait mal, tu es bien gentille de nous avoir mis au courant. Merci de nous avoir prévenus alors que rien ne t'y obligeait. J'admire ton courage, Minnie... En échange, pour ne pas te nuire, on va juste dire à tes parents qu'on a changé d'idée, sans préciser pourquoi.

Je rougis au moins jusqu'à la racine des cheveux. Peut-être même jusqu'au fond du cerveau. Heureusement que larmes et soleil brouillent la vue des deux tourtereaux, qui me font un bref salut de la main avant de s'engouffrer péniblement dans leur voiture.

8

Espoir sur un mélodrame

Je ne suis pas certaine d'être très fière de ma victoire. Il me reste comme un goût amer dans la bouche. Mais, en même temps, je soupire d'aise d'avoir réussi à écarter deux rivaux de cette importance.

Le téléphone m'arrache à mes pensées. Au bout du fil, un éventuel acheteur. Ne connaissant pas mon interlocuteur, je n'ai aucune hésitation à lui dire :

— Désolée, mon pauvre monsieur, vous arrivez trop tard dans la course ; la transaction est sur le point d'être signée.

Et c'est comme ça toute la journée. J'écarte de quelques paroles tous ceux qui semblent s'intéresser d'un peu trop près à ce que je considère être ma chasse gardée.

À vingt-trois heures, mes parents reviennent. Ils entrent une fois de plus en trombe dans ma chambre. C'est vraiment difficile d'éduquer des adultes ! De quoi décourager n'importe quel enfant, même le plus attentionné !

— Et puis ? Quoi de neuf ?

Je prends un air détaché et déclare :

— Rien de particulier. Une petite journée tranquille.

Mes parents cachent mal leur étonnement.

— Pas de visite ? Pas de coup de téléphone ?

— Ouais! Quelques personnes ont appelé pour des renseignements. Mais rien de vraiment important.

— Personne n'a pris rendez-vous?

— Non! Personne n'est venu non plus, sauf le jeune couple dont vous m'aviez parlé. Personnellement, je n'ai pas trouvé Gabrielle et Frédéric aussi emballés que vous l'aviez dit.

— Ah! c'est curieux… J'étais pourtant persuadée qu'ils craquaient pour notre maison, s'étonne maman.

— Moi aussi, j'étais certain que l'affaire était dans le sac, ajoute papa, la face allongée. Bizarre! Bon!… Trop tard pour vérifier quoi que ce soit ce soir. Allons nous coucher. On éclaircira la situation demain.

La voix de papa me réveille. Il parle au téléphone. Je regarde l'heure: sept heures sept. Ça doit vraiment être urgent pour qu'il appelle aussi matinalement, lui qui a toujours du mal à se sortir du lit. J'enfile ma robe de chambre et, un peu inquiète, je vais aux nouvelles.

Une petite voix intérieure me conseille de rester à l'écart. Dans la cuisine, mes parents ont l'air de deux moineaux qui ont passé la nuit sur la corde à linge. Leur visage est couleur farine extrablanche et ils ont des cernes jusqu'au nombril. À entendre leur conversation, j'ai vite fait de saisir que papa vient d'appeler Frédéric et Gabrielle. J'ai vraiment intérêt à demeurer invisible.

— Qu'est-ce qui a bien pu se passer pour qu'ils changent d'avis aussi brusquement? grommelle mon paternel. C'est à n'y rien comprendre!

— Cela n'a presque pas d'allure, poursuit maman d'une voix affectée. Gabrielle avait déjà dessiné tous ses plans d'aménagement. Elle avait même prévu un coin bébé pour l'enfant qu'ils projettent d'avoir. Es-tu certain qu'ils t'ont opposé un non catégorique? C'est peut-être juste que tu as téléphoné un peu trop tôt? A-t-on idée d'appeler les gens à sept heures du matin?

— Ça ne peut pas être plus clair comme réponse: «Non, monsieur Bellavance. Finalement, on a réexaminé la situation et on a décidé d'acheter ailleurs. Merci de respecter notre choix.»

— Ce que je m'explique mal, c'est qu'avant-hier, ils auraient traversé l'océan sur un radeau si cela avait été parmi nos conditions de vente. Ils voulaient notre maison à tout prix! À TOUT PRIX! s'indigne maman en frappant la table de son poing.

Edmond et Anne-Marie semblent catastrophés. J'avale de travers; je n'aime pas voir mes parents dans cet état. Surtout que je suis absolument sûre d'être LA RESPONSABLE DE LEUR DÉCONFITURE! J'ai envie de tout leur raconter, mais je me retiens... TORONTO comme perspective et c'est avec moi qu'on fait DES CONFITURES!

Je n'ai surtout pas le goût d'être interrogée. Je me faufile en douce jusqu'au salon. De ma « cachette », j'entends sans être vue. La situation n'est pas reluisante pour mes parents.

— Ça m'énerve de penser que l'affaire était presque réglée. Puis, pour je ne sais quelle raison, ça nous glisse entre les doigts, ronchonne papa.

— Surtout, force nous est de constater que Frédéric et Gabrielle étaient, à ce jour, nos seuls clients sérieux, soupire maman.

— Tu as bien raison. Les gens sont attirés, viennent visiter, mais comme ce n'est pas accessible à toutes les bourses, ça réduit de beaucoup les acheteurs potentiels.

— Ouais ! Mais tu sais aussi bien que moi, mon amour, qu'on n'a pas d'autre choix que de maintenir notre prix. Avec toutes les améliorations qu'on a apportées au fil des ans. En plus, les maisons à Toronto sont horriblement dispendieuses. Et le coût de la vie aussi. Il va nous falloir beaucoup de liquidités. Mon salaire, même majoré, et le tien ne suffiront pas si l'on n'obtient pas le montant fixé de la transaction.

Edmond et Anne-Marie marchent de long en large dans la cuisine en ruminant leur déconvenue. Ils sont visiblement excédés par la tournure des événements. Un lourd silence s'installe. Je n'entends plus que le bruit de leurs pas sur le carrelage.

Papa, le premier, rompt cette insoutenable tension :

— Le pire, c'est la course contre la montre. On n'a pas beaucoup de temps devant nous. Tu es attendue à Toronto le plus tôt possible ; ton patron ne te donnera pas six mois pour te retourner de bord.

— Et, même si la firme pour laquelle je vais travailler nous loge un mois à l'hôtel, à ses frais, nous devons absolument vendre avant de partir. On ne pourra jamais assumer un achat à Toronto tout en absorbant des mensualités au Québec. Ah ! zut ! gémit maman, je ne peux pas croire que mon beau rêve risque d'être court-circuité.

— Sirop de calmant! Ce n'est pas facile, jure mon paternel entre ses dents.

J'avale de travers. Je me sens toute petite dans mes culottes. Je ne savais pas qu'il était aussi embarrassant d'être l'auteure d'un mélodrame!

Les jours suivants, le téléphone demeure muet. Les visiteurs brillent par leur absence. Mes parents sont en train de devenir fous. Et de me rendre folle par la même occasion. Mais je préfère la folie au déménagement. Alors, je me tais.

Le patron de maman se fait de jour en jour plus insistant. Le travail s'accumule à Toronto et il aurait besoin d'Anne-Marie immédiatement. De courtois et compréhensif qu'il était au début, il devient de plus en plus impatient. Aujourd'hui, il a posé un ultimatum à ma mère:

— *You have to be here Monday, otherwise I will give the job to the second candidate.*

Maman a raccroché en pleurant. Elle a répété à papa ce que Mister Smith venait de lui dire. Personne n'a eu besoin de me traduire. J'ai compris suffisamment de mots pour déduire qu'elle doit être à Toronto, lundi sans faute, sinon son poste sera offert au deuxième candidat.

On est vendredi. Trois jours pour régler la situation. Bien peu ! Mes parents paniquent. Pour ma part, je me réjouis, mais je me garde bien de le montrer. Dans mon for intérieur, j'évalue comme de plus en plus probables mes chances de voir avorter le projet de déménager à Toronto.

Youpi ! Je peux enfin commencer à respirer !

9

Pépin de taille

Zut de crotte de lynx, de crotte de sauterelle, de crotte de crapaud, de crotte de £¶™¥ø"`~†ºx`˝§~Ø•†, de crotte de, etc. Quand ça va mal, ça va mal en crotte de crotte !

Figure-toi que mes parents ont réussi un miracle. Pas comme à l'oratoire Saint-Joseph où des personnes en fauteuil roulant se sont mises à marcher ou encore des aveugles à voir... Non, non, non! Leur miracle à eux n'a rien pour me réjouir! Rien! Rien du tout!

Crois-le ou non, dimanche, in extremis, ils ont conclu une entente. Une entente qui signifie qu'à compter du mois prochain, nous ne serons plus propriétaires de notre maison. Je bous. Je fulmine! Je m'en veux comme tout de ne pas avoir été suffisamment vigilante.

En fin de semaine, pour la première fois depuis longtemps, j'ai baissé la garde, convaincue que le vent tournait enfin en ma faveur. J'étais certaine, compte tenu du temps qui filait à la vitesse de l'éclair, que mes parents ne pourraient jamais régler la vente de la maison à leur convenance. Que tout devenait trop précipité et que le plus simple et le moins risqué était d'oublier Toronto. C'est du moins le discours qu'ils en étaient eux-mêmes rendus à tenir.

J'en ai donc profité pour accompagner papi et mamie à leur chalet. Je me suis baignée, je suis allée à la pêche, je me suis promenée en fôret, j'ai fait de l'escalade, du kayak, du vélo. Le soir, j'ai dormi sous la tente. Et j'ai rêvé. Rêvé à la chance qui me revenait.

Tout cela sans me méfier. Sans même soupçonner une petite minuscule fraction de seconde que mes parents lanceraient des S.O.S. jusqu'au dernier moment. Des millions de S.O.S. Ici. Là. Partout. Et qu'ils avaient des contacts.

L'ami d'un ami d'un ami en a parlé à un ami. De fil en aiguille, l'information est arrivée aux oreilles d'un riche couple de retraités pakistanais fraîchement émigrés. Ils ont tout bonnement répondu à l'appel au secours de mes parents, *trouvant ainsi ce qu'ils cherchaient depuis toujours*!

En moins de temps qu'il n'en faut pour faire un pet, monsieur et madame Admir Mémocássin se sont entendus avec Edmond et Anne-Marie sur toutes les clauses concernant la vente de ma maison. Sur toutes les clauses de A à

Z. Sans discussion. Sans négociation. Sans anicroche.

Dans un mois, jour pour jour, je ne serai plus chez moi au 35 de la rue des Capucines.

Mon cœur ressemble à une vieille chaussette broyée dans un mélangeur électrique.

À l'heure qu'il est, maman est à quatre mille mètres d'altitude, quelque part entre Québec et Toronto.

Papa jubile :

— Tu te rends compte, Minnie ? Ta mère va arriver à temps pour sa première réunion avec Mister Smith. Qui aurait pu croire ça il y a deux jours ?

J'aurais bien aimé ne pas avoir à y croire. Aimé défaire les boîtes. Réinstaller les meubles, les bibelots, les tableaux à la place qu'ils occupaient encore il y a peu de temps. Reconquérir le 35 de la rue des Capucines.

— Je te le dis, Minnie, continue de monologuer mon père. Un vrai tour de force qu'on a réussi là. Tu vas voir, ma fille, le Bonheur avec un grand B nous tend les bras.

Papa sautille comme un petit enfant. Il m'énerve. IL M'ÉNERVE ROYALEMENT. J'aimerais lui dire de se taire. Lui crier combien j'ai mal. Lui hurler à quel point j'ai peur. Mais ma peine est si grosse que je suis incapable de sortir un seul son. Je suis figée dans le béton.

Papa, tout à sa joie, ne se rend compte de rien. Il poursuit :

— Demain, ma cocotte, on va aller chez le notaire lire le contrat. Même si les papiers doivent être signés officiellement dans un mois seulement, afin que chacun puisse organiser tous les détails relatifs à son déménagement, je vois ça comme la confirmation de notre nouveau départ. La preuve concrète que ce n'est plus juste un rêve. J'ai hâte en démon !

Edmond chantonne un air d'opéra. Il se racle la gorge et entonne de plus en plus fort des *la-la-la* qui semblent sortis tout droit du fond d'une cuvette de toilette. J'aurais envie de m'enfuir en courant, surtout lorsque, coupant court à son inspiration chantée, il ajoute :

— Ça va te donner l'occasion de rencontrer monsieur et madame Admir Mémocassin. Des gens particulièrement charmants.

Admir Mémocassin, Traîne Lasavate ou Gougoune Encaoutchou, je m'en fiche pas mal. Je ne retiens qu'une seule chose : de purs étrangers vont désormais habiter ma maison. Vivre là où je suis née. Là où j'ai grandi. Là où j'ÉTAIS heureuse.

Juste d'y penser est absolument INTOLÉRABLE !

10

Le cœur
en miettes

Intolérable ou pas, j'ai dû m'adapter. Du moins en apparence!

Comme papa l'a dit, je suis allée chez le notaire. Comme il l'a dit aussi, j'ai rencontré monsieur et madame Admir Mémocassin. Mais, contrairement à ce qu'il a dit, je ne les ai pas trouvés particulièrement charmants.

Remarque qu'Edmond m'aurait présenté à leur place la plus grande vedette de cinéma ou la personnalité sportive la plus en vue aux Olympiques, si cette célébrité s'était pointée pour acheter ma maison, je l'aurais traitée de la même façon. C'est-à-dire plutôt mal!

Comment voulais-tu que je sois agréable avec les Mémocassin? Pour moi, ils sont deux voleurs qui s'emparent de mon bonheur. Deux rapaces qui s'approprient mon trésor le plus précieux. Deux vampires qui sucent tout mon bien-être. En plus, ils n'ont ni la gentillesse, ni le charme, ni le charisme de Frédéric et de Gabrielle. Avoir su. GRR!

Évidemment, je ne pouvais pas leur sauter dessus. Ni les ficeler. Ni les emprisonner. Ni les faire disparaître. Ni... Ni... Ni... Rien! Alors je me suis fermé la trappe. Et je n'ai plus dit un mot. Plus un seul.

Je devais avoir l'air complètement gaga. Douze ans et pas foutue de répondre à une seule question. Mais je m'en fichais comme de ma première couche. Papa a bien essayé de me faire sortir de mon mutisme. J'ai tenu mon bout. Je suis restée muette. Mu-et-te-com-me-u-ne-car-pe!

Oh! là! là! Tu aurais dû voir la tête d'Edmond. Sa petite chouchoune adorée qui se butait. Qui devenait aussi impertinente que l'enfant le plus détestable de toute la planète. Devant monsieur et madame Mémocassin, en plus.

Parce que, là, il faut que tu comprennes que mon paternel est tout simplement en courbettes devant monsieur et madame Mémocassin. Pour lui, ils sont des sauveurs. Ils représentent LA VOIE nous permettant d'accéder à ce magnifique gros lot qu'est Toronto.

GRR! Pour ma part, je n'y voyais rien d'autre, qu'un immense dalot pour idiots!

Dans la voiture, j'ai eu droit à tout un discours. Une véritable conférence transmise avec des haut-parleurs de la toute première qualité. Ayoye! Les oreilles me résonnent encore.

— Comment peux-tu te montrer aussi insolente, Minnie Bellavance? Je ne t'ai jamais vue impolie de la sorte. Tu t'es montrée tout simplement grossière. Qu'est-ce que tu veux prouver en étant effrontée et désagréable comme ça? Cherches-tu à impressionner quelqu'un avec ton impertinence? Tu agis comme un gros bébé gâté.

Après coup, j'ai vérifié *insolente* à la page cinq cent cinquante de mon dictionnaire. J'accorde dix sur dix à papa. Il a été capable de décliner tous les synonymes de ce mot! Mais au moment où ça se passait, je te jure que j'ai plutôt explosé:

— Insolente! Insolente, tant que tu voudras. C'est tout ce que tu es capable de voir. Parce que si tu regardais plus loin, juste un peu plus loin que le bout de ton nez, tu comprendrais que ton gros bébé gâté, comme tu dis, a de la peine. De la grosse peine.

On était arrivés devant le 35 de la rue des Capucines. Je suis descendue à toute vitesse du véhicule, j'ai claqué la portière, puis j'ai filé vers ce qui avait été mon «ancienne» chambre. Je me suis tapie dans un coin et j'ai pleuré.

Je me suis probablement endormie d'épuisement. Chose certaine, lorsque j'ai émergé de ma léthargie, il faisait noir. J'ai senti une présence dans la pièce vide. Papa a passé un bras autour de mes épaules et il m'a serrée tout contre lui. Ça m'a fait un bien immense.

— Je m'excuse, Minnie.

L'espace d'un instant, j'ai imaginé qu'il avait revisé ses positions, que Toronto n'était plus qu'un cauchemar derrière moi. J'ai déchanté assez rapidement lorsqu'il a pris soin de justifier la nature de ses excuses :

— Je me suis un peu emporté et je t'ai parlé durement, mais ton comportement m'a mis hors de moi. Sauf que ce n'est pas une raison pour agir

comme je l'ai fait. Je m'en excuse sincèrement, Minnie.

Papa s'est levé avant d'ajouter :

— De ton côté, j'espère que c'est la dernière fois que tu te comportes de la sorte. Je passe l'éponge... Mais que ça ne se reproduise plus.

Mon père est sorti. Mon cœur s'est brisé. Je suis restée seule avec ma peine qui gonflait à vue d'œil.

Papa n'avait rien compris. Rien de rien !

Je ne sais pas si c'était de déménager ou de ne pas être comprise qui me faisait le plus mal. Chose certaine, ÇA FAISAIT MAL EN TITI TARTE-LETTE !

11

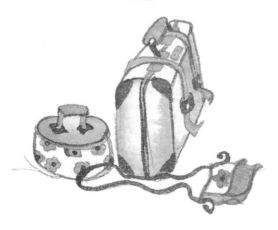

Atterrissage
en sol mouvant

J'imagine que je ne peux plus rien faire pour renverser le cours des événements. Je suis dans l'avion en direction de Toronto. J'aurais jubilé de partir pour n'importe quelle autre destination : Londres, Paris, San José, Lima, Rio, Tombouctou... Même le point le plus au nord de l'Arctique m'aurait enchantée. Moi qui adore voyager ! Mais sur mon billet, un aller évidemment, c'est écrit noir sur blanc, en gros caractères gras comme pour me narguer : **TORONTO**.

Je vis ça comme une déportation. C'est vrai… Qui peut dire le contraire ? Je suis arrachée de mon quartier, de ma ville, de ma province, de mon coin de pays, et contrainte de m'implanter dans un ailleurs qu'on m'assigne de force. J'aime mieux ne pas trop y penser. Je vais vomir et ça n'aura rien à voir avec les turbulences qui secouent présentement l'avion.

Je ne parle plus à personne de mon malheur. À quoi bon ? Le monde entier est ligué contre moi. Puisque personne ne s'intéresse à ma peine, autant souffrir en silence. Les grandes douleurs sont, paraît-il, muettes. J'ai déjà entendu ça dans un film. Mais je ne sais plus lequel !

Sur le siège, à ma gauche, papa réagit tout à fait différemment. Il ne tient pas en place. Il se tortille comme une anguille. Il s'étire pour regarder par le hublot. Il est impatient d'arriver.

Impatient d'entreprendre ce qu'il appelle «notre nouveau départ».

— Pauvre cocotte! Tu fais pitié à voir. Arrête de penser à ce que tu laisses. Songe plutôt à tout ce que tu vas découvrir.

Je ne réponds pas. Mais, dans ma tête, je mets une muselière à papa. Et, pour garantir une efficacité maximale, je l'attache serré, serré.

Nous avons cherché maman dans tous les recoins de l'aéroport. Introuvable. Après deux heures d'attente, papa a décidé de téléphoner au bureau où elle travaille.

— Mes p'tits pitous d'amour! Je suis contente que vous m'appeliez. Je pensais que vous l'auriez fait plus tôt. Je m'excuse de ne pas avoir été là. Je suis dé-bor-dée... Mieux vaut prendre un taxi. On se revoit à l'hôtel ce soir. Mm... mm... mm... Je vous embrasse, mes cocos chéris.

Clic ! Ça faisait une semaine que je n'avais pas vu ma mère et elle n'avait même pas trouvé une petite seconde pour venir nous accueillir. J'avais la mine encore plus déconfite qu'à mon arrivée en sol torontois.

21 h 23, 756 moutons...
21 h 45, 3999 moutons...
22 h 18, 7123 moutons...
23 h 01, 13 864 moutons...

Je n'en peux plus de regarder l'heure et de compter les moutons. Le plafond de la chambre d'hôtel est triste comme l'ennui et maman n'est toujours pas revenue. Mieux vaut me laisser gagner par le sommeil, zzz, zzz, zzz. Cela sera sûrement moins nul que d'attendre.

Une odeur de café me réveille. Maman doit être revenue; elle seule en boit.

Je fais aussitôt deux constatations. La première, c'est qu'on est le matin; une vive clarté pénètre dans la chambre.

La deuxième, c'est que je suis seule avec mon père. Papa m'explique:

— Anne-Marie t'a embrassée en entrant hier soir, et ce matin en partant.

— Et l'odeur de café?

— Maman doit être dans l'ascenceur en train de boire celui que je lui ai préparé.

Ma montre indique six heures trente du matin.

Papa n'ajoute rien; mais j'ai le temps de voir passer un nuage gris devant ses yeux.

Ça fait exactement une semaine que je suis à Toronto et il s'est passé une tonne métrique d'événements.

Tous les jours, papa et moi courons, *la broue dans le toupet*, pour tenter de trouver une maison. Tout ce qui est intéressant s'avère trois fois plus cher que prévu. Pour respecter le budget planifié par mes parents, il faudrait s'installer à une heure de route du centre-ville. Sans compter les embouteillages !

Maman est si accaparée par son nouvel emploi qu'elle se déguise en courant d'air. Je l'ai entrevue quinze minutes, dimanche dernier. Encore une chance que c'était son jour de congé !

— Je n'y peux rien, les cocos, nous répète-t-elle, lorsqu'elle trouve une fraction de seconde pour nous téléphoner. Pour l'instant, j'ai du boulot en ciboulot !

La mutation de papa dans une filiale torontoise s'est avérée être nettement moins alléchante que promis. En fait, il devra travailler sur appel, pour dix succursales différentes. À souhaiter qu'il dispose d'une force d'adaptation élastique !

J'ai l'impression de vivre dans une porte tournante. Tout est si étourdissant que je n'ai même plus le temps de penser. Québec me semble à des années-lumière. J'aurais besoin de respirer une bouffée d'air frais du 35 de la rue des Capucines pour me reposer de cette course effrénée; je dois me contenter de l'air climatisé de l'hôtel en fin de journée.

Demain, je commence l'école. J'ai peur en tartelette. Mais, en même temps, je me dis que ça ne pourra pas être pire que cette succession de jours démentiels en compagnie d'un père énervé et énervant, où j'ose obtenir une mini-audience avec l'ombre de ma pauvre mère, épuisée par son travail de fou. Au moins, j'aurai une activité stable! Une activité où je pourrai m'aérer un peu les esprits! Une activité où je me retrouverai peut-être, enfin, un peu.

12

Surprise !

Après avoir fait une halte à au moins un million de feux de circulation, contourné douze ambulances, cinq camions de pompiers et six autopatrouilles, fait un détour de plusieurs kilomètres pour éviter un embouteillage monstre signalé à la radio et été les témoins de trois dérapages, de deux carambolages et d'un capotage, papa et moi arrivons enfin au Santa Maria Serghenti Immersion Covent. Avec une heure de retard! Mais, à mon avis, c'est un minuscule détail, compte tenu de la mésaventure que nous venons de vivre.

Devant nous se dresse un gros bâtiment austère, tout en pierre, avec un immense portail en fer forgé. De gigantesques statues d'anges en marbre, soufflant dans des trompettes, entourent la porte principale. C'est très impressionnant, mais pas nécessairement invitant!

À l'entrée, une sœur portière nous demande d'attendre dans un parloir qui sent le vieux. Nous sommes seuls. À croire que personne d'autre ne commence l'école aujourd'hui.

CLAC! CLAC! CLAC! Les pas de la religieuse s'éloignent dans le corridor. Mon corps est parcouru de frissons. J'aurais envie de sortir en courant à toute allure. M'enfuir. M'éloigner de tous ces changements que je dois subir contre mon gré. Effacer le dernier mois. Et surtout, supprimer le fichu coup de téléphone qui est à l'origine de tous mes malheurs actuels. Ah! si seulement j'en avais le pouvoir!

Pour l'instant, je n'ai pas grand pouvoir. Seulement le devoir de suivre la directrice qui vient me chercher. Et, même si elle dit, dans un français impeccable, être fière de m'accueillir dans son école, il est clair, au timbre de sa voix, que mon retard d'aujourd'hui devra être le dernier.

Papa ne doit pas avoir l'air plus rassuré que moi parce que la directrice juge bon d'ajouter:

— Ne vous inquiétez pas, monsieur Bellavance. Nous prendrons bien soin de votre fille. Vous n'avez qu'à venir la chercher à seize heures.

Puis, avec un petit sourire narquois, elle précise:

— Seize heures... Pas dix-sept! Au revoir et bonne journée, monsieur.

Je regarde papa partir, un motton dans la gorge. J'aimerais avoir les jambes de Bruny Surin et courir le rejoindre sans que personne ne puisse

me rattraper. À la place, j'entreprends
une visite guidée avec mon « hôtesse ».

Incroyable, mais vrai! On est samedi et je suis triste. Triste de ne pas
aller à l'école. Je dois tenir compagnie
à Edmond qui n'a toujours pas trouvé
de maison. Quant à Anne-Marie, peut-
être, si la chance me sourit très, très,
très fort, aurai-je le bonheur de l'entrevoir le temps de lui dire « Salut! »
Sûrement pas plus!

Exception faite de mon ancienne
école, jamais je n'aurais pu imaginer
une institution scolaire aussi formi-
dable, aussi extraordinaire, aussi sensationnelle que le Santa Maria Serghenti
Immersion Covent.

Oui! oui! oui! C'est bien moi que
tu entends parler de la sorte. Je n'en
reviens pas encore.

Sitôt papa parti, le premier matin,
la directrice s'est détendue. En
boutade, elle a déclaré:

— Ah! les parents... il faut tout leur montrer! À ne pas être en retard. À ne pas s'inquiéter pour rien... Tous pareils! Depuis trente ans que je suis ici! Tous pareils que je te dis.

Elle a alors passé un bras autour de mes épaules et on a continué la visite des lieux. Je me sentais beaucoup plus légère. J'ai même eu l'impression que les murs me faisaient un clin d'œil!

Tour à tour, j'ai rencontré les professeurs puis les élèves de ma classe. À la fin de la journée, j'avais douze nouveaux noms dans mon carnet d'adresses. Et des tonnes de sourires dans le cœur!

C'est inouï, toutes les activités offertes. En moins d'une semaine, j'ai déjà eu le loisir de faire une sortie d'équitation, de visiter le Musée des beaux-arts, d'assister à une pièce de théâtre et de découvrir le Vieux-Toronto.

Je me suis inscrite aussi dans l'équipe de soccer, j'ai donné mon nom pour Expo-Sciences, pour chanter

dans la chorale et pour participer à l'atelier de poterie. Tous les premiers mardis soirs du mois, je vais aller visiter des personnes âgées dans une résidence et trouver des jeux pour les distraire. Ah oui... j'oubliais. Je suis également membre du club de lecture « Miam ! Miam ! Miam ! Book » et du groupe « Anglo-Franco » qui favorise les échanges interculturels entre francophones et anglophones. C'est vraiment, vraiment excitant !

La langue n'est pas un véritable obstacle. Les professeurs me parlent lentement et vérifient toujours si j'ai bien compris. Mes nouvelles amies et moi, on gesticule beaucoup, mais on arrive toujours à se comprendre. Certaines se débrouillent assez bien en français. Et, comme je me plais à la folie ici, j'ai l'ambition, pour ma part, d'apprendre rapidement l'anglais. Chut !... Ne le dis pas à maman !

Je ne me reconnais plus ! Jamais je n'aurais songé pouvoir penser de la sorte. Même pas une lilliputienne de seconde. Pourtant, c'est la vérité, vrai de vrai !

Moi qui avais l'impression, ces derniers temps, que tout allait de mal en pis et que ma Vie était en chute libre, me voilà devant toute une surprise. Oh oui... à une sacreluche de tartelette d'agréable surprise.

Preuve est faite qu'il ne faut jamais se décourager ! Mais ça, je n'irai pas l'avouer à mes parents. Du moins, pas pour l'instant !

13

Les « zombies »
passent aux aveux !

Ma bonne humeur retrouvée ne semble pas contagieuse. Je pense que mes parents n'ont même pas vu la différence, trop préoccupés par leur propre nombril. De toute façon, dans l'état végétatif où ils se trouvent le soir venu, je ne suis pas convaincue qu'ils aient encore la capacité de s'apercevoir de ma présence, encore moins de mes états d'âme!

Voilà maintenant trois semaines que nous sommes à Toronto. Edmond et Anne-Marie semblent avoir ravalé leurs belles certitudes d'avant le départ. Plus jamais on entend: «Tu vas voir, Minnie... on va tous y gagner en qualité de vie!»

Au contraire, ma mère est si fatiguée au retour du boulot qu'enfiler son pyjama relève de l'exploit; elle s'écroule sur son lit tout habillée. Elle s'en extirpe le matin, un peu plus froissée que la veille. Je parle autant de ses vêtements que des traits de son visage!

Papa court tellement d'une succursale à l'autre pour répondre aux demandes incessantes de ses clients francophones, qu'il passe les trois quarts de ses journées en voiture. Une boule de nerfs au volant d'une auto. L'autre jour, voulant se garer dans le stationnement du port, il s'est retrouvé sur le pont supérieur d'un traversier. Plus distrait que ça et tu ne te souviens plus de ton nom!

Dans la chambre d'hôtel – parce que nous n'avons toujours pas trouvé de maison –, c'est le bazar. Papa déteste que j'utilise cette expression, mais rien d'autre ne peut qualifier le chaos indescriptible qui règne dans notre suite. Même moi, qui ne suis pas maniaque de ménage, je suis renversée par l'état lamentable des lieux. Et, comme maman en a honte, elle a demandé à la femme de chambre de ne plus venir. Décidément, je ne comprendrai jamais rien aux adultes !

Heureusement qu'il y a cinq jours d'école. Ajoute à cela quatre soirs d'activités parascolaires, une soirée de sortie avec mes amies le vendredi, des devoirs et des leçons à la bibliothèque le samedi et des invitations chez mes copines le dimanche, il ne me reste plus grand temps pour être en compagnie de mes deux zombies de parents. Et, comme je suis maintenant autonome en matière de déplacements, grâce aux transports en commun, je peux facilement m'organiser sans leur intervention.

Mais je suis inquiète pour Edmond et Anne-Marie. Ils semblent décliner à vue d'œil. Maman a maigri tant et si bien qu'avant longtemps, je crains qu'elle n'ait besoin de bretelles pour tenir ses petites culottes. Son visage est tellement émacié que je ne serais pas étonnée que ses joues se touchent lorsqu'elle mastique. Encore faudrait-il qu'elle trouve le temps de manger !

Pour sa part, papa a le teint vert. Si vert qu'entre lui et une branche de brocoli, il n'y a plus grande différence. Et dire que c'est moi qui appréhendais ce déménagement !

Personnellement, je m'en sors bien. Même assez bien. Au point que Québec n'est plus qu'un agréable souvenir. Bien sûr, je n'ai rien effacé de ma mémoire – ça, je ne pourrai jamais –, mais je n'ai plus la crotte sur le cœur qui me paralysait au début. Je ne suis pas encore complètement adaptée. Je m'ennuie de mes copines de là-bas, de nos confidences, de notre intimité... Je m'ennuie aussi de mes grands-parents, de mon ancienne maison, de mes petites habitudes… Mais il ne m'en manque pas gros pour que je sois heureuse du sommet de mon coco jusqu'à l'ongle le plus long de mes orteils!

L'ombre la plus sombre au tableau, c'est d'être encore en camping à l'hôtel. J'ai hâte de me refaire un nid. De m'installer. De me personnaliser un coin. D'inviter des amies chez moi. Lorsque je regagne l'hôtel, le soir, j'ai l'impression d'arriver nulle part. Et, bien sûr, j'ai hâte de retrouver mes parents. Mes vrais parents. Ceux d'avant.

Des « chui, chui, chui, chui »… de plus en plus forts me réveillent. On dirait le bruit d'une laine d'acier que l'on frotte au fond d'un chaudron.

Il fait noir. Mon cadran indique trois heures. Trois heures du matin, évidemment, puisqu'il fait noir !

Les « chui, chui, chui, chui » continuent de plus belle. Je tends l'oreille.

C'est papa qui tente, tant bien que mal, de parler à maman en chuchotant, sûrement avec l'intention de ne pas me réveiller. Je fais la morte, mais mes petits pavillons auditifs sont tout ouïe. C'est souvent fort intéressant ce qu'on peut apprendre des adultes lorsqu'ils croient les enfants profondément endormis.

— Ça ne peut plus continuer comme ça, Anne-Marie. Tu travailles seize heures par jour. Tu...

— Je le sais, Edmond, l'interrompt ma mère. Mais-je-n'y-peux-rien. Il y a mille fois plus de boulot que je ne suis capable d'en faire.

— Oui, mais ce n'est pas une vie qu'on mène. Depuis qu'on est ici, on n'a pas pris ensemble un seul repas digne de ce nom. Pense un peu à la petite ! Déjà qu'elle était malheureuse de venir à Toronto, si on continue comme ça, on va l'achever.

Tiens, tiens, tiens ! papa se souvient soudainement de mon existence. Je ris sous cape devant tant de sollicitude !

— Si au moins ton excédent de travail n'était que temporaire. Mais tu as affirmé qu'avec les nouveaux dossiers qui te seront confiés la semaine prochaine, ça risque d'être ta cadence quotidienne pour un bon bout de temps. Vrai ou faux?

— Vrai, Edmond. Mais... à la longue, je devrais sûrement gagner en efficacité.

— Tut, tut, tut! L'efficacité, tu l'as déjà. Sauf qu'à toi toute seule, tu abats de la besogne qui nécessiterait au moins cinq personnes. Là-dessus, ton patron est complètement borné. Il aime mieux brûler ses ressources plutôt que d'avoir à embaucher des employés supplémentaires. C'est comme ça qu'il a achevé tous tes prédécesseurs. Ce n'était pas dit dans le contrat, ça!

Maman n'ajoute rien. Mais, à entendre le soupir qu'elle pousse, il est clair qu'elle est du même avis que papa. Je sens son impuissance devant la situation.

— Et toi? Comment ça se passe avec ta compagnie?

— Bof! ça ne va pas fort, fort. Ce n'est pas du tout ce à quoi je m'attendais. J'ai l'impression de servir de bouche-trou et d'être le petit serviteur qui doit répondre au moindre claquement de doigts des clients. Hier, j'ai dû me présenter aux dix succursales. Tout le monde avait besoin de l'associé francophone en même temps. Je me sens davantage dans la peau d'un chauffeur de taxi que dans celle d'un comptable. Pour être honnête... mon nouvel emploi me... me pue au nez.

Ils restent de longues minutes sans parler, puis j'entends un bruit de froissements de draps. J'ouvre un œil; je peux entrevoir mes parents enlacés dans le lit voisin du mien. J'aime quand Edmond et Anne-Marie sont aussi proches.

Maman brise le silence :

— Moi aussi, j'ai une confidence à te faire, mon amour.

Elle a du mal à poursuivre. Ses chuchotements étouffent quelques sanglots. Elle renifle avant d'enchaîner :

— Tu ne croiras jamais ce que je vais te dire. Avec tous les désirs que j'ai eus de venir à Toronto, je pense pourtant m'être trompée... Trompée sur toute la ligne.

La sincérité de maman me touche en plein cœur. Un adulte reconnaissant ses erreurs, c'est rare en tartelette !

Papa bécote maman. J'aurais envie d'en faire autant. Mais je suis censée dormir profondément. Alors, je me contente tout simplement d'enregistrer la conversation.

— Cet emploi-là, c'était la promotion de mes rêves. On était si nombreux à le convoiter. Je n'arrivais pas à croire que j'étais l'heureuse élue. Je l'ai pris comme le plus grand défi de ma carrière. L'ambition m'a aveuglée. L'herbe est tellement toujours plus verte dans le champ du voisin ! Sauf que, là, je déchante.

Je retiens mon souffle. Les révélations de maman me troublent.

— Je te le dis, Edmond. J'aimais mille fois mieux ce que je faisais à Québec. Le salaire était moins bon, j'avais moins d'avantages sociaux, mais au moins je vivais. Ici, avec mon rythme d'enfer, j'ai du mal à survivre !

Puis elle ajoute tout bas, comme un aveu :

— Vous me manquez, toi et la p'tite ! Faut que ça change.

Mon cœur se gonfle ; ainsi, maman ne nous a pas oubliés. Je sens sa sincérité et son désir, non, plutôt son besoin d'améliorer la situation actuelle.

Tandis que mes parents poursuivent leur discussion, je m'endors, désormais convaincue que notre vie à Toronto va prendre un nouveau tournant. Adieu le camping à l'hôtel et les «bonjour», «bonsoir» à la triple sauvette.

14

!NOITAUTIS
ED TNEMESREVNER/
RENVERSEMENT
DE SITUATION!

J'ai à peine les yeux ouverts que déjà je flaire la différence. Une agréable musique classique se répand dans la chambre. Des effluves de croissants chauds embaument la pièce. Et, fait extraordinaire, papa et maman sont tous deux tranquillement attablés devant un chocolat chaud.

Je regarde l'heure... Neuf heures. Mes parents sont sûrement passés tout droit. On a beau être samedi, il y a belle lurette que je ne les ai pas vus se prélasser de la sorte, oisifs, complètement abandonnés dans un rayon de soleil.

— Maman... qu'est-ce que tu fais ici ? Tu n'es pas au bureau ? Papa... as-tu oublié la chasse à la maison ?

Mes parents rient à gorge déployée comme si je venais de raconter une farce hilarante. Et, plutôt que de paniquer devant la réalité, ils m'invitent gentiment à partager leur farniente.

Edmond et Anne-Marie sont sûrement tombés sur la tête. Ils souffrent d'une amnésie soudaine... je ne vois pas d'autre explication. J'espère seulement que leur réveil ne sera pas trop brutal. Ayoye ! J'imagine déjà l'état d'épouvante que ça va entraîner. Je dois les ramener sur terre avec ménagement. Mais, ouf ! quelle responsabilité !

Mes parents me dévisagent comme si c'était moi, l'élément curieux du décor. Ils ont un petit sourire niais et un regard aussi *brillant* que celui de Gardfield. Pour un peu, on pourrait croire deux grandes godiches au ciboulot fêlé.

— Allô! Comment vas-tu, ma belle, susurre maman. Devine quoi… J'aimerais ça, ce soir, qu'on se retrouve tous les trois au restaurant. Qu'en penses-tu?

Je me touche le front. Je ne fais pas de fièvre. Ma mère s'est pourtant adressée à moi en alignant plus de deux phrases. Elle a également émis l'hypothèse qu'un futur en famille pouvait exister. Et, pour couronner le tout, elle me demande mon avis.

Je reste bouche bée devant ce triple record.

— Fondue chinoise? Sushis? Cuisine végétarienne? Couscous marocain? À toi de choisir, propose mon père.

Le téléphone m'arrache à ce monde irréel. C'est Judi qui s'inquiète de ne pas m'avoir encore vue à la bibliothèque du quartier.

Je quitte la chambre d'hôtel, pas certaine que mes parents soient en état de rester seuls.

— *Buenas tardes, señorita.* Nous allons commander une paëlla aux fruits de mer pour trois personnes. Avec un pichet de sangria non alcoolisée, *por favor.*

Ne perds pas connaissance, mais je suis bel et bien attablée dans un restaurant espagnol, en compagnie de mon père et de ma mère. Un exploit presque aussi inimaginable que celui de traverser le désert sur le dos d'une fourmi!

Lorsque je suis revenue de la bibliothèque, Edmond et Anne-Marie m'attendaient. Dans la chambre, le ménage avait été fait de fond en comble. Maman arborait une nouvelle coiffure et portait une robe que je n'avais jamais vue. Papa était fraîchement rasé et sentait bon une eau de toilette que je ne connaissais pas. Tous deux avaient encore leur petit sourire niais lorsque, se tenant bras dessus, bras dessous, ils m'ont dit :

— On a un grand secret à t'annoncer. On va toutefois attendre d'être au restaurant pour te le faire partager.

Le trajet m'a semblé interminable. Je savourais pourtant la compagnie de ma mère et de mon père, mais tout mon être était en alerte. Intérieur comme extérieur. La dernière fois qu'ils avaient eu « un grand secret à partager », ils avaient viré ma vie à l'envers. J'espérais qu'aujourd'hui, leur confidence aurait un goût de miel et non de vinaigre !

— Ce qu'on va te dire va sûrement te faire plaisir. Devine !

Mille images défilent dans ma tête. Ils ont enfin trouvé une maison. Le patron de maman s'est résolu à engager du personnel supplémentaire pour alléger son travail. Papa a convaincu ses supérieurs de l'affecter à un seul bureau. Toutes nos fins de semaine seront consacrées à visiter

Toronto et ses environs. Mes parents vont enfin s'intéresser à ma vie personnelle et demander à rencontrer mes nouveaux amis. Le souper en famille de ce soir n'est que le prélude d'une exploration de tous les restaurants de la ville...

L'arrivée de la paëlla met fin à ma rêverie. Je regarde tour à tour mes parents et hausse les épaules, signifiant ainsi que je n'ai pas percé l'énigme.

— Figure-toi, ma cocotte...

— ... que pas plus tard que la semaine prochaine...

— ... à pareille heure...

— ... tu vas tranquillement dormir...

— ... au... au... au...

— Devine, devine...

Ils me font languir avec un malin plaisir. Papa pétrit les mains de maman comme s'il faisait du pain. Ils sont nerveux, mais visiblement heureux.

— Devine... devine..., répète Anne-Marie.

En boutade, je dis :

— Au 35 de la rue des Capucines.

Les visages de papa et de maman s'allongent d'au moins trois mètres. Leurs bouches s'ouvrent grandes comme des portes de grange. Leurs yeux s'écarquillent, pareils à ceux d'une grenouille. Ils me fixent comme s'ils venaient de voir apparaître le diable en personne. Ils sont figés, stupéfaits, hagards...

En bafouillant, maman parvient à articuler :

— Com... ment as-tu, as-tu, as-tu...

C'est papa qui complète la phrase d'une voix hachurée :

— ... de-vi-néééééé ?

À mon tour d'être outrée. De ressembler à un zombie. D'avoir les idées aussi brouillées que des ondes courtes par temps d'ouragan.

J'ai besoin de lumière pour éclairer ma lanterne. Dans ma tête, tout est confus. On est à Toronto, je lance à la blague mon ancienne adresse, et BINGO ! je tombe sur le bon numéro.

À moins que mes parents n'aient un nouveau gros bobo dans leur coco !

15

Petit détour !

Après cet imbroglio, tout s'est déroulé à une vitesse vertigineuse.

Portée comme par un cyclone, je me suis retrouvée catapultée dans un avion vers Québec...

Imagine !

Maman a eu le culot de déchirer son contrat devant un Mister Smith ahuri. Elle lui a souhaité bonne chance dans sa recherche d'un autre esclave, en lui précisant toutefois que l'esclavage était une coutume périmée.

Son patron de Québec la réembauche dès la semaine prochaine; il s'était donné une couple de mois avant de remplacer maman... Il connaissait la réputation de Mister Smith et sa façon infernale de répartir le travail. Alors, il avait espéré...

Pour sa part, papa, par mesure de prudence, avait pris trois mois de congé sabbatique pour essayer l'emploi de Toronto; il lui reste donc deux mois de congé avant de réintégrer son ancien boulot, ce qui est loin de lui déplaire!

Mes grands-parents nous ont téléphoné en catastrophe pour annoncer que monsieur et madame Admir Mémocassin se cherchaient désespérément un autre acheteur pour signer le contrat de vente de notre maison québécoise; ils ont le mal du pays, surtout depuis que leur fille aînée, restée au Pakistan, leur a annoncé qu'elle attendait un bébé. Mes parents se sont empressés d'intercepter leurs démarches...

Nous voici donc de retour au 35 de la rue des Capucines.

Papa et maman s'attendaient à ce que je défonce les murs avec des cris de joie, à ce que j'explose comme un feu de Bengale, à ce que je bondisse comme une gazelle...

— Tu ne sais vraiment pas ce que tu veux, Minnie Bellavance, s'indigne maman.

— Tu as tout fait pour empêcher notre déménagement à Toronto et maintenant que tu es de retour au Québec, dans TA MAISON, tu es aussi gaïe qu'un entrepreneur de pompes funèbres, ajoute papa. C'est à n'y rien comprendre.

C'est vrai... Je suis plutôt « tiède ». Même « tiède, tiède » ! Pour dire la vérité, je suis incapable d'extérioriser ce que je ressens vraiment. Le remue-ménage que j'ai subi ces derniers temps a siphonné toute mon énergie et m'a mise complètement à plat. Heureuse ou malheureuse ? Je ne sais pas... Je

dois t'avouer que j'ai les idées aussi mêlées que les numéros dans un boulier de bingo !

Que me reste-t-il de mon ancienne maison ? Elle est vide à l'intérieur. Comme mon cœur. Plus de meubles, plus d'objets personnels, plus le cachet de mes souvenirs. Elle a perdu son âme.

J'erre entre ses murs comme une étrangère. Je ne m'y retrouve plus.

Pour ne rien arranger, Edmond et Anne-Marie sont dans la foulée de « repartir à neuf » ! Du grille-pain à la laveuse, des lits aux sofas, du porte-savon à la télévision, ils garnissent la maison en achetant à droite, à gauche.

— Tu vas voir, Minnie... la maison ne restera pas dénudée longtemps.

Je n'ai pas de mal à les croire. Au rythme où les magasins de meubles viennent livrer la marchandise, je crains plutôt que le 35 de la rue des Capucines n'explose, faute de place !

Tout cela ne m'aide pas à me re-trouver. Je me sens de plus en plus extérieure à tout ce qu'ils ajoutent à l'intérieur. Je suis envahie dans mon propre nid! Je ne sais plus où m'abriter pour protéger mon cœur.

Mes parents ne semblent pas perturbés par toute cette nouveauté. Pour l'instant, ils n'en finissent plus de téléphoner ici et là, à madame Machin, à monsieur Tartempion pour leur raconter, dans les moindres détails, leurs aventures rocambolesques à Toronto. Ils en parlent comme si nous venions de vivre l'événement mondain le plus couru de la planète. «Tu aurais dû voir ça, ma chère!» «Tu ne peux pas te figurer, mon vieux!» Et patati! et patata!... Bla-bla-bla!

Moi, c'est en dedans que ça se passe. J'en veux à mes parents de jouer au poker avec ma vie, sans se soucier des efforts d'adaptation que je dois déployer à chacune de leur nouvelle mise. J'ai mal. Mal en tartelette d'être un simple pion déplacé sur une planche de jeu au gré de leurs humeurs.

Je suis assise, seule au fond du jardin. Les dernières feuilles se détachent des arbres et tourbillonnent dans les airs. Parfois, elles touchent le sol pour remonter aussitôt et virevolter de nouveau entre ciel et terre. À l'image de mes émotions. Monte. Descend. Monte. Descend...

— Tu as vu tout le chemin que fait une feuille avant d'atterrir?

Je sursaute. Je n'avais pas entendu grand-maman arriver. Elle s'installe à mes côtés et me serre dans ses bras. Un gros bisou claque sur ma joue.

— Je suis contente de te retrouver, mon pitou. Dis-moi ce que tu rapportes de bon dans tes bagages?

— Bof! tout ce tralala pour revenir à notre point de départ. Mes parents auraient mieux fait de ne jamais partir. Ça aurait été moins compliqué. Et moins éprouvant.

— Tut, tut, tut! Il y a parfois des petits détours dans la Vie, tu sais! Revenir à notre point de départ n'est pas si grave si, entre-temps, notre bagage s'est enrichi. Évidemment, ce sont des choses dont on ne se rend pas toujours compte tout de suite.

Un petit détour dans la VIE. Grand-maman a toujours les mots pour me faire rire. Toronto n'a-t-il été qu'un petit détour dans ma VIE?

Je me mets à réfléchir. Malgré toutes les complications, Toronto m'a au moins permis de connaître Judi, Carla, Dana, Kim et les autres. Il m'a aussi fait voir un nouveau coin de pays. Et fait progresser mon anglais de façon vertigineuse. Et... et... et...

Brusquement, je réalise tout ce qu'il m'a été donné de vivre en si peu de temps. Pour la première fois depuis longtemps, j'affiche un large sourire.

Peut-être au fond que c'est grâce à Toronto, à ce petit détour dans ma Vie, comme le dit mamie, si je suis désormais un petit peu plus que ce que j'étais avant!

Cette nouvelle façon de voir a sur moi l'effet d'une méga-vitamine. Je me sens animée d'une force soudaine. Je décoche un clin d'œil complice à ma bonne grand-maman Victoria et je me lève, prête à apprivoiser tout ce qui m'attend de différent au 35 de la rue des Capucines.

Par précaution, j'ajoute toutefois dans ma tête : « O.K. pour ce petit détour dans ma Vie… Mais, s'il vous plaît, pas trop souvent quand même ! »

Table des chapitres

Collection Papillon